獻給露西
未來的小好奇鬼。

———————— F.P

你這麼好奇

文・圖｜弗羅希安・皮傑　譯｜謝蕙心　責任編輯｜陳毓書　美術設計｜林家蓁　行銷企劃｜高嘉吟

發行人｜殷允芃　創辦人兼執行長｜何琦瑜　總經理｜王玉鳳　總監｜張文婷　副總監｜黃雅妮　版權專員｜何晨瑋

出版者｜親子天下股份有限公司　地址｜台北市 104 建國北路一段 96 號 11 樓　電話｜（02）2509-2800　傳真｜（02）2509-2462
網址｜www.parenting.com.tw　讀者服務專線｜（02）2662-0332　週一～週五：09:00~17:30　傳真｜（02）2662-6048
客服信箱｜bill@service.cw.com.tw　法律顧問｜瀛睿兩岸暨創新顧問公司　總經銷｜大和圖書有限公司　電話：（02）8990-2588
出版日期｜2020 年 2 月第一版第一次印行　定價｜260 元　書號｜BKKP240P　ISBN｜978-957-503-530-3（平裝）

訂購服務 ————————————
親子天下 Shopping｜shopping.parenting.com.tw　海外・大量訂購｜parenting@service.cw.com.tw
書香花園｜台北市建國北路二段 6 巷 11 號　電話（02）2506-1635　劃撥帳號｜50331356　親子天下股份有限公司

立即購買 >

本書獲法國在台協會《胡品清出版補助計劃》支持出版。/ Cet ouvrage,
publié dans le cadre du Programme d'Aide à la Publication « Hu
Pinching », bénéficie du soutien du Bureau Français de Taipei.

文・圖 **弗羅希安・皮傑**

譯 謝蕙心

你ㄋㄧˇ這ㄓㄜˋ麼ㄇㄜ˙好ㄏㄠˇ奇ㄑㄧˊ。

你好奇得總是想去更遠的地方，
看看到底藏了什麼。

你ㄋㄧˇ想ㄒㄧㄤˇ去ㄑㄩˋ更ㄍㄥˋ高ㄍㄠ的ㄉㄜ地ㄉㄧˋ方ㄈㄤ……

你ㄋㄧˇ想ㄒㄧㄤˇ去ㄑㄩˋ更ㄍㄥˋ低ㄉㄧ的ㄉㄜ˙地ㄉㄧˋ方ㄈㄤ……

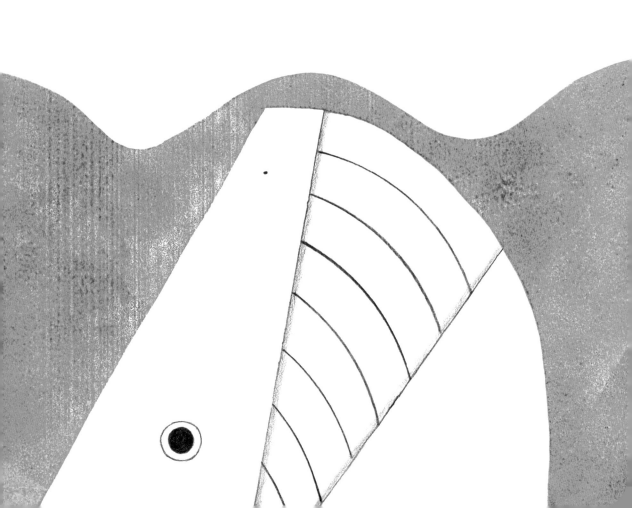

沒有為什麼，你就只是好奇而已。

或是，好奇不用問為什麼。

有人覺得這是一個很糟糕的缺點。

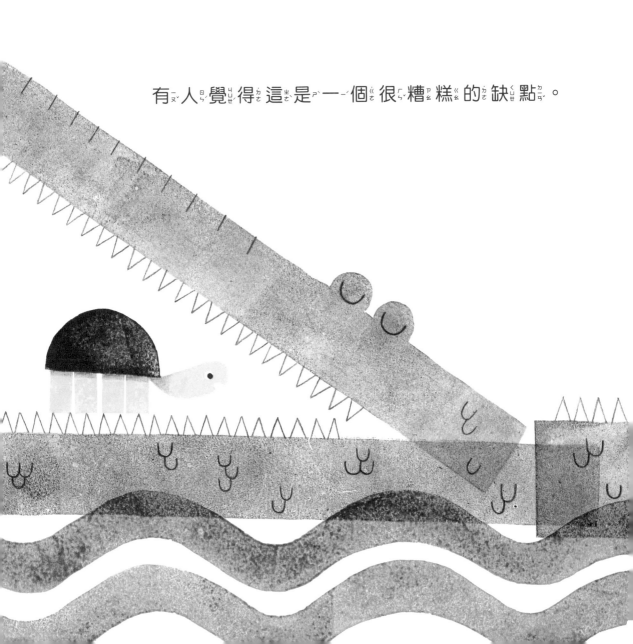

但，好奇本來就是正常的。

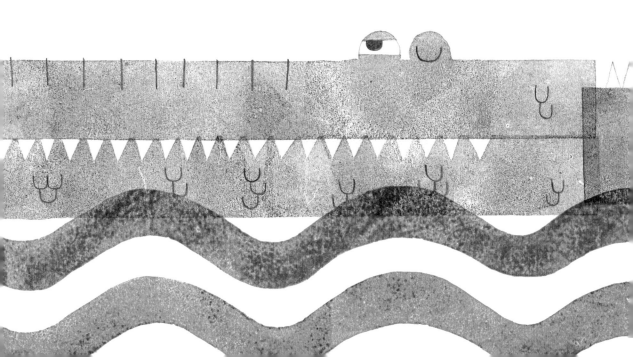

為ㄨˊ什ㄕㄣˊ麼˙牠ㄊㄚ們˙會ㄏㄨㄟˋ站ㄓㄢˋ著˙睡ㄕㄨㄟˋ覺ㄐㄧㄠˋ？

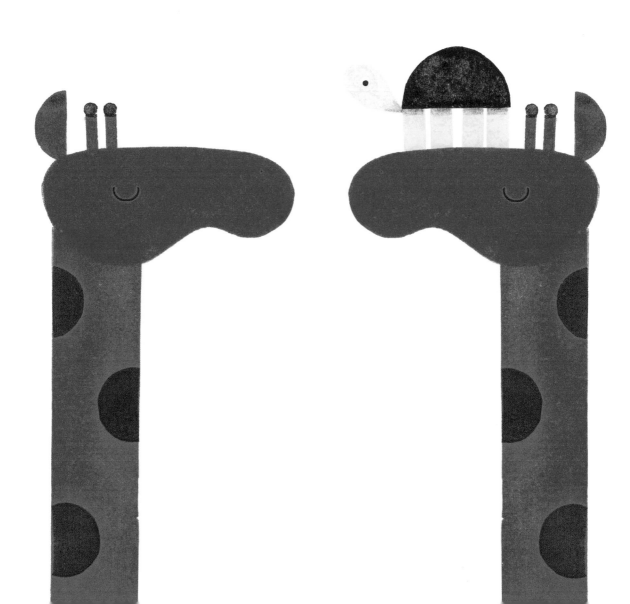

為ㄨㄟˊ什ㄕㄣˊ麼ㄇㄜ˙牠ㄊㄚ們ㄇㄣˊ沒ㄇㄟˊ有ㄧㄡˇ腳ㄐㄧㄠˇ？

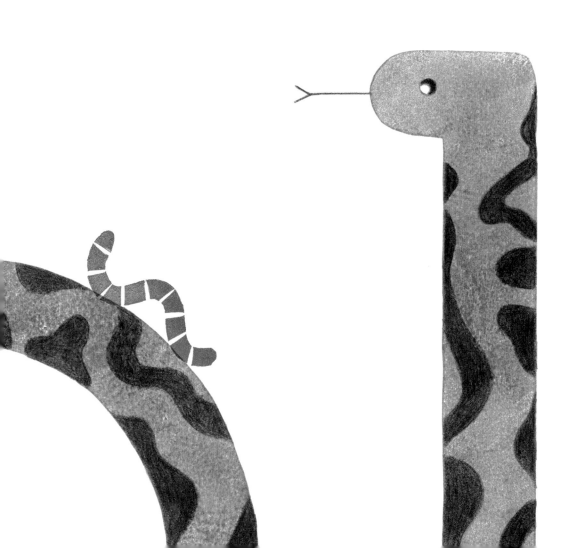

你這麼好奇， 好奇到想探索
你自己硬殼內的每一個角落。

然後你問自己：
「誰會好奇到來讀我的故事？」

那ㄋㄚ、， 我ㄨㄛˇ們ㄇㄣˊ去ㄑㄩˋ看ㄎㄢ、看ㄎㄢ、吧ㄅㄚ˙！